RATUS POCHE

COLLECTION DIRIGÉE PAR JEANINE ET JEAN GUION

L'anniversaire de Ratus

D0774152

Les aventures du rat vert

- Le robot de Ratus
- Les champignons de Ratus
- Ratus raconte ses vacances
- Ratus et la télévision
- Ratus se déguise
- Les mensonges de Ratus
- Ratus écrit un livre
- L'anniversaire de Ratus
- Ratus à l'école du cirque
- Ratus et le sapin-cactus
- Ratus et le poisson fou
- Ratus et les puces savantes
- Ratus en ballon
- Ratus père Noël
- Ratus chez le coiffeur
- Ratus et les lapins
- Ratus aux sports d'hiver
- Ratus pique-nique
- Ratus sur la route des vacances
- La grosse bêtise de Ratus
- Ratus chez les robots
- Ratus à la ferme
- Ratus champion de tennis
- La classe de Ratus en voyage
- Ratus en Afrique
- Ratus et l'étrange maîtresse
- Ratus à l'hôpital
- Ratus et la petite princesse
- Ratus et le sorcier
- Ratus gardien de zoo

© Hatier Paris 2003, ISSN 1259 4652, ISBN 2-218 74370-1

L'anniversaire de Ratus

Jeanine et Jean Guion, Olivier Vogel
et les élèves du CE1 de Mme Vigilant
gagnants du jeu-concours Hatier-UNICEF.

HATIER

Victor

Jeannette

Belo

Marou   Mina   Ratus

Les personnages de l'histoire

La maîtresse a écrit au tableau :

« Bon anniversaire, Ratus ! » 1

Sur son bureau, il y a un cadeau enveloppé de papier vert, avec un gros nœud rose… Jeannette le donne à 2 Ratus et lui fait une bise.

Toute la classe applaudit. 3

– Ça sent bon, dit Ratus, en 4 rougissant.

– Euh… corrige le rat vert. Le cadeau sent bon…

7

Où est le cadeau de Ratus ?

Vite, Ratus ouvre son cadeau. Du fromage ! Du fromage qui a des trous !

– Celui que je préfère ! dit Ratus. Je peux le manger, maîtresse ?

– Bien sûr, répond Jeannette, puisque c'est ton anniversaire.

– Il a la couleur du savon, dit Marou en riant. Si tu le manges, ça va faire des bulles !

Le rat vert hausse les épaules et mord dans son fromage.

5

Qui a apporté des biscuits au chocolat ?

– Il est délicieux, dit Ratus, la bouche pleine. Vous êtes gentils. Vous êtes de vrais copains !

Et il sort de son cartable deux paquets de biscuits au chocolat.

– Pour mon anniversaire, je vous ai apporté des gâteaux. Il y en a un chacun et deux pour la maîtresse, parce qu'elle est grande…

– Vive Ratus ! crient tous les élèves.

– Alors, goûtons ! dit Jeannette.

Quel fromage Ratus préfère-t-il ?

Jeannette a acheté des jus de fruits. Tout le monde se régale.

Au moment de partir, Ratus se lève et fait un discours : 9

– Mon fromage était très bon. Mais c'est dommage : les trous étaient trop gros. S'ils avaient été petits, j'aurais eu plus de fromage… Vive les petits trous !

La sonnerie retentit et les élèves 10 quittent l'école, heureux d'avoir fêté 11 l'anniversaire de Ratus.

Pour qui est le cadeau de Victor ?

Sur le chemin du retour, le rat vert rencontre Victor.

– Salut ! dit le gros chien. Bon anniversaire !

– Tu m'offres un cadeau ? demande Ratus.

– Bien sûr que oui, répond Victor avec un sourire malicieux. 12

Et il tend un joli paquet à Ratus qui 13 arrache aussitôt le papier. Il découvre une boîte en carton et l'ouvre.

– Mais elle est vide ! Il n'y a rien 14 dedans…

Quel cadeau Ratus voulait-il ?

– Ton cadeau, c'est un trou, explique 15
Victor. Un gros trou de fromage…

Ratus en reste la bouche ouverte. Il n'a
encore jamais vu un trou de fromage
tout seul.

Il regarde Victor sans comprendre.

– Mais… mais… bredouille-t-il. Il 16
n'y a pas de fromage autour du trou !
Et je voulais du fromage !

Ratus montre sa boîte vide à Marou
et à Mina.

– Victor m'a offert un trou. Il est 17
devenu fou !

Quelle farce Ratus a-t-il faite à Victor ?

Le gros chien est heureux de sa farce. 18
Il se rappelle qu'un jour, Ratus lui avait 19
offrit une saucisse en caoutchouc. 20
Chaque fois qu'il mordait dedans, ça
faisait « coui-coui ».

– Si tu mords dans ton trou, ça fera
peut-être « coui-coui » ! dit-il à Ratus.

Il part d'un grand éclat de rire et
s'en va en chantant :

Quand les saucisses font coui-coui,
Les fromages font coui-coui aussi !

Qui a offert un gros paquet à Ratus ?

Comme il arrive chez lui, Ratus entend Belo qui crie :

– Bon anniversaire, Ratus ! J'ai un cadeau pour toi.

Vite, le rat vert monte sur son échelle et prend un gros paquet que le grand-père chat lui tend.

– Qu'est-ce que c'est ? J'espère que ça fait pas « coui-coui » ! dit Ratus en grognant.

– C'est une surprise, dit Belo.

Et le rat vert défait son gros paquet.

*Pour son anniversaire, Ratus a
une pendule. Laquelle ?*

– Oh ! Une pendule à coucou ! En forme de fromage ! Comme elle est belle ! Merci beaucoup, Belo.

– Elle fera « coucou », pas « coui-coui », dit Mina en riant.

Il est cinq heures et une jolie petite souris sort en disant : « i - i ».

Marou se souvient de la pendule à coucou que Ratus a gagnée au concours de danse, et il dit malicieusement :

– Mets-les ensemble : « coucou » et « i - i », ça fera « coui-coui » !

Ratus rit de bon cœur en admirant son cadeau.

1

anniversaire
(on prononce :
a-ni-vèr-sèr)

2

un **nœud**
(on prononce : *neu*)

3

elle **applaudit**

4

Ça
(on prononce : *sa*)

5

il **hausse** les épaules
(on prononce : *os*)
Il lève les épaules
pour montrer
qu'il s'en moque.

6

délicieux
(on prononce :
dé-li-si.eu)
Très, très bon.

7

un **paquet**
de biscuits

25

8
ils **crient**
(on prononce : *cri*)

9

un **discours**
Il parle à toute la
classe qui écoute.

10

la sonnerie **retentit**
On entend la
sonnerie.

11

ils **quittent** l'école
L'école est finie et
ils s'en vont.

heureux
(on prononce :
eu-reu)

12
un sourire
malicieux
(on prononce :
ma-li-si.eu)
Un sourire malin.

13
il **tend**
Il donne.

14
rien
(on prononce : *ri.in*)

15
il **explique**
(on prononce : *èks-
pli-que*)

16
bredouille
Il parle, mais il
n'arrive pas à bien
parler.

17
il a **offert**
(on prononce :
o-fèr)

18
une **farce**
(on prononce :
far-se)

19
il se **rappelle**
(on prononce :
ra-pèl)

20
une saucisse en
caoutchouc
Une saucisse jouet,
qui ne se mange pas.

21
malicieusement
(on prononce :
ma-li-si.eu-ze-man)
Avec un air malin.

Les aventures du rat vert

Les aventures de Mamie Ratus

Ralette, drôle de chipie

Les histoires de toujours

Super-Mamie et la forêt interdite

L'école de Mme Bégonia

La classe de 6e

Achille, le robot de l'espace

Collection Ratus Poche

Conception graphique couverture : Pouty Design
Conception graphique intérieur : Jean Yves Grall • mise en page : Atelier JMH

Imprimé en France par Pollina, 84500 Luçon - n° 98014
Dépôt légal n° 30558 - septembre 2005

Les élèves du CE1 de Mme Vigilant, de l'école Gambetta à Saint-Prix (Val d'Oise), ont en partie écrit et illustré ce livre qui a été réalisé à l'occasion du jeu-concours organisé pour le 10e anniversaire de la méthode de lecture *Ratus et ses amis*. Près de six mille élèves de CP et de CE1 y avaient participé ! Il fallait terminer l'histoire de Jeanine et Jean Guion *L'anniversaire de Ratus*, puis toute l'illustrer.

SIGNATURE DES GAGNANTS :

Pour ce livre exceptionnel, les bénéfices de l'éditeur, les droits des auteurs et de l'illustrateur sont versés à l'UNICEF, au profit de la santé et de l'éducation des enfants dans le monde.